제가
사랑하겠습니다

제가 사랑하겠습니다

초판 1쇄 발행 2020년 8월 29일
초판 2쇄 인쇄 2022년 7월 17일

지은이 서미영

펴낸이 이장우
편집 송세아 안소라
디자인 theambitious factory
마케팅 시절인연
제작 김소은
관리 김한다 한주연
인쇄 금비pnp

펴낸곳 도서출판 꿈공장플러스
출판등록 제 406-2017-000160호
주소 서울시 성북구 보국문로 16가길 43-20 꿈공장 1층

이메일 ceo@dreambooks.kr
홈페이지 www.dreambooks.kr
인스타그램 @dreambooks.ceo

전화번호 02-6012-2734
팩스 031-624-4527

꿈공장플러스 출판사는 모든 작가님의 꿈을 응원합니다.
꿈공장플러스 출판사는 꿈을 포기하지 않는 당신 곁에 늘 함께하겠습니다.

ISBN 979-11-89129-67-5
정가 12,000원

서미영 시집

「이별 후유증」

「설렘으로 다가온 그대」

「그대 가슴에 반짝이는 별 하나」

시인의 말

아름다운 꽃에 아름다운 향기가 나듯
좋은 사람에게도 좋은 향기가 나지요.
글에도 향기가 있어 제 글에
작은 미소를 짓고 작은 위로를 받고
소소한 행복을 느끼면 좋겠습니다.

독자들에게 오래도록
좋은 향기로 기억되는 글이 되길 바랍니다.

| 1부 |

— 이별 후유증 —

時

요즘 그대를 보아하니
이제 때가 되었네요

이별을 마주할 때가

그대를 떠나보내야 할 때가

다시 홀로서기 해야 할 때가

나의 별이 사라진 날

나만을 바라보던
나만을 비추던
나의 별이 사라졌습니다

당신을 바라보던
당신을 비추던
당신의 별은 계속 반짝이는데

가끔 쳐다봐 주세요
외롭지 않도록

가끔 기억해주세요
언젠가
스스로
빛을 잃을 때까지

이별 후

너와 사랑했을 땐

그렇게 반갑던 아침 햇살이

네가 없는 오늘은

그 햇살을 맞이하기가 두려워

너 없이 어떻게 하루를 보낼지

아니 너를 만나기 전엔

내가 어떻게 하루를 보냈는지 잊어버렸어

난 분명 너만 잃었는데

나도 잃어버렸어

나에게

슬플 땐

엉엉 울어도 돼

슬픔은

머금지 말고

터트리는 거야

웃음처럼

제가 사랑하겠습니다

그대는 그냥 뒤돌아가세요

그대와 함께했던 행복한 기억
애틋한 그리움도
제가 사랑하겠습니다

미안해하지 마세요
사랑할 수밖에 없는 당신을
사랑한 거니까요

그러니 그대는
그냥 떠나가시면 됩니다

그대와 가슴 아픈 이별까지도
제가 다
사랑하겠습니다

반딧불이 사랑

달빛처럼 환한 빛을 낼 순 없어요

하지만

은은한 고운 빛을 가지고 있지요

별빛처럼 반짝이며 당신을 비출 순 없어요

하지만 언제나 당신과 함께 있지요

내게

눈길 한번 주지 않는 당신이지만

언제까지 바라만 보아도 괜찮아요

당신만 비출 수 있다면

내 빛을 잃는 날까지

난 당신만의 반딧불이랍니다

아시나요

창가에 달빛이 물들 때면
내가 당신을 생각하는 때입니다

수많은 별 중에
유난히 반짝이는 별이 있다면
아직 당신을 잊지 못하는 내 마음입니다

이 추운 겨울날
눈이 아닌 비가 오는 날이면
당신이 그리워 흘리는
내 눈물입니다

당신의 향기

당신의 생김새가 이젠 기억나지 않습니다

당신의 목소리도 이젠 기억나지 않습니다

하지만 당신의 향기는 기억하고 있습니다

당신은 잘 모르시겠지만
당신에게선 항상 좋은 향기가 났습니다

오늘 거리를 걷다
문득 뒤돌아보고 말았습니다

당신인 줄 알고
가슴이 순간 철렁했습니다

아,
내 심장도
아직 당신을 기억하고 있었습니다

날 위로하는 날

유난히 힘들고
지치는 날

누군가의 위로가
필요한 날

오늘은 내가 나에게
말 걸어 보아요

잘하고 있다고
잘해내고 있다고

사실은
대견할 때가
한두 번이 아니라고

칠흑 같은 밤

항상 꿋꿋하게
잘 버티다가도

한순간
내가 무너질 때가 있어

그건 다름 아닌

너와의 추억이
날 삼키는

오늘같이
잔인한
칠흑 같은 밤

이별 후유증

있잖아

널 잊기엔
오늘 너무 예쁜 날씨야

그래서
더 눈물이 나

체념

아무리 발버둥 쳐도
안 되는 건 안 되는 것이다

아무리 목놓아 울어도
안 되는 건 안 되는 것이다

이미 나에게
등 돌린 마음을 붙잡는 건

어찌해도
안 되는 건 안 되는 것이다

사계절

따스한 봄날
들에 피는 꽃들은
당신에게 보내는 내 인사입니다

무더운 여름날
시원한 장맛비는
당신에게 보내는 내 성의입니다

화창한 가을날
알록달록 물든 단풍잎은
당신에게 보내는 내 마지막 선물입니다

추운 겨울날
소복소복 쌓이는 함박눈은
당신과의 추억을
그만 덮으려는
내 마음입니다

망각

내 방의 먼지를 털어내듯이
내 머릿속 네 기억도 털어버리고 싶다

내 옷의 얼룩을 지워내듯이
너와의 추억도 말끔히 지워버리고 싶다

내 맘 모르고
내 머릿속 기억은
왜 더욱 선명해지는지

휴우
오늘은 '망각의 물약'이 절실히 필요한 밤이다

첫사랑

내가 첫사랑이라고 해서
정말 그런 줄 알았죠

나만 사랑한다고 해서
정말 그런 줄 알았죠

사랑하지만 헤어지자고 해서
정말 그런 줄 알았죠

나중에 알았죠
곧이곧대로 믿으면
안 된다는 것을

그날

그날을 기억해요
당신을 처음 만난 날
당신과 눈이 마주쳤을 때
내 숨이 멎었던 그때

그 순간 이미 알았죠
사랑이 시작된 것을

그날을 기억해요
당신과 헤어지던 날
당신이 내 눈을 피하기만 할 때
내 가슴이 미어졌던 그때

그 순간 이미 알았죠
이별이 시작된 것을

당신에게 묻고 싶습니다

노을 지는 저녁 하늘을 보며
내가 문득 생각났던 적이 있는지요

한 번쯤 날 떠올리며
미소 지은 적이 있는지요

당신의 추억의 끝자락에
아직도 내가 자리 잡고 있는지요

도시 속의 나

도시 속의 나는
‘한 점’에 불과한 것을
뭘 그리 바둥거리며 살아왔을까

내 안의 내가 대답한다

세상에 없으니만도 못한
먼지가 되지 않기 위해
그리 열심히 살아왔다고

도시 속에 없어지지 않는
‘한 점’이라도 되기 위해서
오늘도 살아내고 있다고

아웃사이더

유난히 고단한 하루다
온갖 불행이 우연처럼 겹쳐온 기가 막힌 하루

남들은 다른 세상에 있는듯하다 행복해하는 모습들
뭐가 그리 즐거운 걸까?

나만 덩그러니 홀로된 느낌

누가 내 손을 잡아주길 간절히 바랐지만
내 목소릴 듣는 사람은 아무도 없었다

오늘은 모두에게 버림받은 하루다

그저 그런대로

있으면 있는 대로
없으면 없는 대로
살자꾸나

슬프면 슬픈 대로
기쁘면 기쁜 대로
살자꾸나

인생 덧없다 말하는 사람도
인생 그래도 살만하다 말하는
사람도 있으니

오늘은 어제 생을 다한 이가
그토록 살고 싶어 했던 하루이므로

쌓이는 그리움

바람을 타고 쓸쓸히
낙엽이 떨어집니다

길가에 쌓이는 건 낙엽인 줄 알았는데
알고 보니 그대 그리움이었습니다

낙엽이 모두 떨어지면
그대 그리움도 희미해질까요

오늘도 그대와의 추억으로 버티는
하루입니다

눈사람

난 매일 당신께 다가가고 있는데
꿈쩍도 하지 않고 제자리를 지키는
내 사랑은 눈사람을 닮았네요

난 당신 품에 안기고 싶은데
당신과 가까워지면 녹아내리는
내 사랑은 눈사람을 닮았네요

난 언제까지나 당신과 함께하고 싶은데
따스한 봄이 오면 사라지는
내 사랑은 눈사람을 닮았네요

저기 쓸쓸히 홀로 있는 눈사람이
꼭 내 사랑을 닮았네요

꿈속의 당신

어젯밤 꿈에 당신이 나왔습니다
예전과 똑같은 모습이어서 반가웠습니다
나 역시 그때로 돌아가 있더군요

꿈속에서 우린 예전처럼 다정했습니다

그걸로 됐습니다

덕분에 시간 여행을 하고 왔네요

행복한 꿈이었습니다

당신도 행복한 꿈이었길 바라봅니다

빛바랜 추억

어느 날 문득
눈에 띈 사진

너무나도 행복해 보이는
사진 속 그대와 나

지금의 우린
현재도 미래도 꿈꿀 수 없는
과거의 인연이 되었네요

빛바랜 사진처럼
기억 속 그대도
언젠가 희미해지겠죠

그 소망을 담아
오늘도 난
그대를 지우고 있네요

적당히

대충대충 말고
적당히

너무 열심히 말고
적당히

과하지도 않고
모자라지도 않게

적당히 살아가고
적당히 사랑하기

사랑도 감당할 수 있도록
이별도 감내할 수 있도록

내가 만약

내가 만약 꽃이라면
그대가 날 보며
한 번쯤 미소 지을 수 있을 텐데

내가 만약 바람이라면
지친 그대 땀방울
시원하게 식혀 줄 수 있을 텐데

내가 만약 그대 우산이라면
그대와 손 맞잡으며
빗속을 거닐 수 있을 텐데

그때 행복했던
그날처럼

작은 희망

그렇게 그댈 잊고 살 거라 다짐했던 날
오늘도 무색하게 만드는 하루입니다

내 눈에 당신 모습이
이렇게 선한데

내 기억 속 당신이
이렇게 선명한데

내 앞에 정작 당신은 보이질 않습니다

돌아선 그대 마음
내 목소리 들으면 혹시나 돌아설까
나지막이 불러봅니다

당신의 이름 석 자
작은 희망을 담아
간절히 불러봅니다

오늘 같은 밤

그대 보고픔은
달빛으로 달래고

그대 그리움은
별빛으로 달래네

달빛 별빛도 없는
오늘 같은 캄캄한 밤은
하염없이 내 눈물로 달래네

고맙소

당신을 만나
나보다 남을 더 사랑하는 법을 배웠소
고맙소

당신을 만나
나를 희생해도 행복하다는 걸 알았소
고맙소

당신을 만나
하늘이 무너지는 이별의 아픔도 느꼈소
그래도 고맙소

당신을 만나
가슴속 아련한 추억으로도 살 수 있다는 걸 깨달았소
그래서 고맙소

그대를 떠나보내려 합니다

그대를 잊었습니다

머리부터 발끝까지 갖고 있는
그대의 모든 걸
이젠 떠나보내려 합니다

차마 버리지 못한
아련한 그리움 하나

이것 하나만
제 마음속 보이지 않는 곳에
고이 접어놓겠습니다

저만 아는 그곳에
평생
간직만 하겠습니다

| 2부 |

— 설렘으로 다가온 그대 —

짝사랑

힐끔 쳐다보면
날 한번 봐줄까요

크게 웃어주면
날 한번 봐줄까요

아님 엉엉 울면
날 한번 봐줄까요

그대 눈치만 보다
그대 주위만 서성이다

무심한 오늘은
또 지나가네요

괜찮아요
내일이 있으니

반가운 손님

한동안 잊고지냈던
설렘이 문을 두드립니다

참으로 오랜만에 찾아온
반가운 손님입니다

그렇게 그대가
날 깨우네요

잠자고 있던
내 감정들이
하나둘 기지개를 켭니다

나도 모르게

나도 모르게
내 마음이 그댈 향하네요

나도 모르게
내 눈길이 그대만 바라보네요

나도 모르게
틈만 나면 그대 모습이 떠오르네요

이렇게 그대 생각만으로도
마냥 미소가 지어지네요

맙소사

나도 모르게
그댈 사랑하게 되었네요

수줍은 고백

내가 지치고 힘들 때
연락 오는 사람이
당신이면 좋겠습니다

아름다운 꽃길을
같이 걸을 수 있는 사람이
당신이면 좋겠습니다

따사로운 아침 햇살을
같이 맞이할 수 있는 사람이
바로
당신이면 좋겠습니다

꽃비

봄처럼 설레는 널 처음 만났지
꽃비가 내리는 어느 봄날에

봄 햇살보다 환한 너의 미소는
내 심장을 녹이고 말았지

그렇게 우리의 만남은 시작되었지
꽃비가 내리는 어느 봄날에

콩깍지

약이 없대요

시력이 좋아지는 걸 먹어도
렌즈를 바꿔 끼어도
안경을 바꿔보아도

약이 없대요

당신을 바라보는
내 눈에 콩깍지가 씌인 건
아무런 약이 없대요

공짜 고백

세상에 공짜는 없다지만

내가 행복한 꿈을 갖는 것도 공짜
내가 예쁘게 미소 짓는 것도 공짜
내가 내 마음을 그대에게 주는 것도 공짜랍니다

그러니
제 마음
사양 말고 받아주시겠어요?

봄바람 타고 그대에게

오늘도 난

그대를 찾아갔어요

따스한 봄바람이

그대 볼에 닿았던 그때

그건 바로

수줍은 제 입맞춤이었죠

내일도

그댈 찾아갈게요

살랑살랑

봄바람 타고

난 연애 중

네가 올 때마다 설레고

너만 생각하면 내 맘은 들떠

그래서 더욱 네가 오길 기다렸지

오랜만에 한껏 멋 부리고
널 만나러 가는 나

난 지금
설레는 '봄'과 연애 중

어느새

굳게 닫혀있던
이별의 창문을 여니

슬픔이 빠져나가고
어느새

새로운 사랑이
문을 두드립니다

바램

난 너에게

휴일 같은 사람이면 좋겠어

월요일 같은 사람 말고

천생연분

내가 그리 좋은지
입꼬리가 내려가질 않네요

내가 그리 좋은지
미소가 끊이질 않네요

내가 그리 좋은지
날 눈에서 떼질 않네요

문득
거울에 비친 나를 보니
당신을 바라보는
내 모습도 그러고 있네요

우린 달라

가을을 타는 너
봄을 타는 나

단짠단짠인 너
새콤달콤인 나

낯가림이 없는 너
부끄럼이 많은 나

이렇게 다른 우리지만
같이 있으면 행복한 우리

다르지만 같아서
더 잘 맞는 우리

행복한 당신

그리 잘생기지 않았습니다

그리 매력적이지도 않습니다

그리 가진 것도 없습니다

하지만
제 맘은 다 가지셨습니다

일편단심

그대
오늘 하루는 어땠나요?

지친 당신의 하루에
나의 목소리가
나의 미소가
나의 손길이
조금이나마 힘이 되고
위로가 되었으면 합니다

아시죠?

이전부터 언제까지나
난 항상 당신 편이랍니다

재판

날 안달복달 나게 만든 죄
한밤중에 잠 못 들게 만든 죄
핸드폰 벨소리 환청을 들리게 한 죄
만나면 가슴 떨리게 만든 죄
내 심장을 앗아간 죄

이 피고인은
사랑법 제1조 1항에 따라
피해자인 날
이 시간 이후로
평생 책임질 것을 선고합니다!

아름다운 그대

봄 햇살을 닮은 그대 미소가
아름답습니다

날 바라보는 그대 눈빛이
아름답습니다

내 이름을 불러주는 그대 음성이
아름답습니다

이런 그대가 내 옆에 있어
이 계절이 참 아름답습니다

사랑 꽃

누군가가 계속
신경이 쓰입니다

잊었던 설렘도
부쩍 자주 느껴지네요

내 시야에 그 사람이 들어오면
가슴이 뛰기 시작합니다

드디어 기다렸던
사랑 꽃을 피워야 할 때인가 봅니다

가끔은 내게도 기적이 찾아옵니다

훤칠한 키에
하얀 피부

언제나 멀리서
바라만 봤던 그대입니다

한 번씩
날 바라보는
그대 눈빛에 설레던 나입니다

웬일인지
오늘 그대가
먼저 내게 말을 걸어옵니다

아
가끔은 내게도
기적이 찾아옵니다

소낙비

우연히 내린 소낙비에
한 우산 속의 그대와 나

두근대는 내 심장 소리
그대에게 들키지 않게

그대 어깨 흠뻑 젖어
내게 한 걸음 더 가까이 올 수 있도록

소낙비야 멈추지 말고
더 세게 내려주렴

사랑 바보

난 사랑은 잘 몰라요
그대만 바라볼 뿐

난 사랑은 잘 몰라요
그대만 생각할 뿐

난 사랑은 잘 몰라요
이 세상 끝까지
그대와 함께할 뿐

당신만 있다면

걱정하지 마세요
의외로 강한 여자랍니다

불안해하지 마세요
나름 용기도 가지고 있답니다

당신의 사랑에 뿌리를 두고 있는 난
불가능한 일도
두려운 것도 없답니다

사랑 투정

밥 먹을 때도 불쑥

일할 때도 불쑥

시도 때도 없이 나타나는
그대 얼굴에

평범했던 내 삶에
지장이 많네요

그래도 그대!

최소한 내게
잠잘 시간만큼은
허락해 주셔야지요

선물

매일같이 오는
선물 같은 하루

나와 당신을 닮은
선물 같은 우리 보석들

매일 내게 사랑을
선물해주는 당신

받는 사람에게나
주는 사람에게나

행복을 가져다주는
참 고마운 선물

동화 속 주인공

난 동화 속 주인공
당신은 백마 탄 왕자

가끔은 우리에게 시련이 오고
어두운 그림자가 우리를 감싸도

난 걱정하지 않아요

동화 속 결말은
항상 해피엔딩이니까요

고백하는 날

설레는 마음 추슬러
내 마음 예쁘게 포장해
그대에게 전달합니다

제 맘 받으시고
정성스레 포장했으니
조심히 풀어보세요

혹여 마음에 들지 않으시면
반품도 가능하니
고스란히 문밖에 내려놓으시면 됩니다

부담과 미안함은 제 몫이니
신경 쓰지 마세요

제 맘 상할까
염려하지도 마세요

사랑은 주기만 해도 행복하다는걸
느끼게 해준
고마운 그대니까요

황홀한 시간

그대와 술 한잔 하는 이 시간

알코올은 견딜 만한데

오늘은 벌써 취한 것 같네요

그윽한 그대의 눈빛에

황홀한 그대의 향기에

감미로운 그대의 입술에

인생의 한 페이지

사랑이 어떻게 매일
달콤하기만 할까요

미울 때도 있고
다툴 때도 있지요

쓴맛이 있어야
단맛을 알듯이

그렇게 우린
우리의 인생 속 한 페이지를
아름답게 채워가고 있답니다

잊지 말아요

보고 또 봐도 보고 싶었던
밤잠 설치며 그리움에 잠 못 이루던
아침 일찍 눈 뜨면 제일 먼저 생각났던

손등만 스쳐도 가슴 설레던
첫 입맞춤에 진정되지 않았던 심장 소리를

그때를 잊지 말아요

나도
당신도

그대는 나에게

그대는 나에게

어떤 명화보다 걸작이며

어떤 교향곡보다 감동이며

어떤 대자연의 숨결보다
아름답습니다

내 인생의 주연배우

살다 보면

슬픔에 눈물짓는 날도
기쁨에 웃음 짓는 날도 있지요

내 인생의 주연배우인
당신과 내가 바뀌지 않는 한

당신과 함께하는 매일이
내겐
영화 같은 날이랍니다

내 남자의 세 가지 소원

내 첫 번째 소원은
이 생애 다 하는 날
당신보다 먼저 눈 감는 것이요

내 두 번째 소원은
부족한 나를 만나 당신을 고생시켜서 미안하오
하지만 당신과 더없이 행복했고 진정 사랑하오
라고 말하는 것이요

내 마지막 세 번째 소원은
염치없지만 당신만 허락한다면
다음 생애도 나와 함께 했으면 하는 바람이요
이 생애 못다 한 호강
다음 생애엔 여한 없이 다 해주고 싶다오

그 말을 듣는 내 눈에
어느새 이슬이 차오릅니다

내 남자의 세 가지 소원 Ⅱ

내가 당신을 처음 만났을 때 느꼈던
소녀 감성을 지켜주고 싶습니다

나와 평생 살면서
매일 꿈을 꾸며 살 수 있게 해주고 싶습니다

아시나요
당신은 내게 와이프가 아닌
평생
여자랍니다

기꺼이

그대가 나에게
사랑을 원한다면
기꺼이

그대가 나에게
이별을 원한다면
기꺼이

다음 생애에
그대가 나에게
다시 사랑을 원한다면
그래도 기꺼이

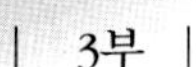
| 3부 |

— 그대 가슴에 반짝이는 별 하나 —

좋은 날

오늘은 햇살이 좋은 날이네요

덩달아 기분도 좋은 날입니다

그러고 보니 오늘 내내 운수도 좋은 날이었네요

아하
이런 날은 그냥 집에 가면 안 되는 날
사랑하기 딱 좋은 날이랍니다

인생은 커피처럼

사랑은 카라멜 마끼아또처럼 달콤하게

첫 키스는 카푸치노 거품처럼 부드럽게

우정은 에스프레소처럼 진하게

이별은 아메리카노처럼 담백하게

그렇게
인생은 내가 좋아하는 커피처럼

봄의 왈츠

바람결에 날리는
꽃잎이 춤을 춰요

향기로운 꽃향기에
나비와 벌도 춤을 춰요

따사로운 햇살 속에서
새들도 노래하며 춤을 춰요

어느덧 이곳은
아름다운 봄의 왈츠가 시작되어요

행복한 봄날

우연히 땅을 내려다보니
민들레가 날 보며
미소 짓고 있네요

내 허리춤만 한 키의
개나리도 날 보며
반가워합니다

새소리에 위를 올려다보니
목련꽃도 날 보며
행복해하네요

어쩜
내가 꽃들 덕에
행복한 건데
꽃들도 날 보며
행복한가 봅니다

그래서 오늘도
참 행복한
봄날입니다

미처 하지 못한 말

내 부모님께

내 자녀에게

내 연인에게

또는 친구에게

미처 하지 못한 말이 있다면

더 늦기 전에 고백하세요

그냥 세월을 흘려보내기엔

이 소중한 시간이 너무 아까운 것 같아요

오늘

지금 이 순간도

우리가 사랑할 수 있는 시간이니까요

모두가 잠든 이 시간

이 적막함이 좋다

아무도 나를 찾지 않고
나를 필요로 하는 곳도 없는

모두가 잠든 이 시간

오로지 나를 위해 쓸 수 있는 나만의 시간
하루 중에 이 시간이 짧은 것이 안타깝지만
그래서 더욱 소중한 이 시간

시간아
내 마음을 조금이라도 헤아린다면
쉬엄쉬엄 천천히 가다오

나는 행복합니다

오늘처럼
해맑은 아침 햇살을 반길 줄 압니다

때론
떨어지는 빗방울 소리도
즐길 줄 압니다

어린아이의 미소를 보며
행복을 느낍니다

오늘 마주친 사람들의 인연을
소중히 생각합니다

매일 하루하루 감사함을 느끼며
살아가고 있습니다

고로
나는 행복합니다

방학

방학이 다가올수록
설렘에 가득 찬 아이들
어디선가 들리는
엄마의 한숨 소리

세월엔 장사 없듯
다가오는 꿈같은 개학 날

어디선가 들리는
아이들의 볼멘소리
참을 수 없이 새어 나오는
엄마의 미소

인생 스프

고객님이 주문하신 대로
사랑 한가득 담아
팔팔 육수를 끓여
걸러지는 이기심은 걷어내고
이해와 배려를 넣었어요

잊지 않고 설렘도 넣었으니 맛보시고요
인생 살다 '인연이다' 싶으시면
늦지 않게 고백하시라고 용기도 첨가했으니
꼭 잊지 마세요

행복도 넘치게 담았으니 조심해서 드세요

참, 행운은 식으면 날아가 버리니
식기 전에 얼른 드세요

학창시절 우리들

인기 많은 총각 선생님 수업을 손꼽아 기다리던 우리들
2교시 끝나고 도시락을 까먹던 우리들
쉬는 시간 10분 안에 누가 빨리 매점을 다녀오나
내기하던 우리들
수업 끝나면 약속이나 한 듯이
떡볶이집으로 향하던 우리들
짝사랑에 가슴앓이하던 우리들
소풍날이면 온 세상의 자유를 만끽하던 우리들
우리끼리만 있으면 세상 부러울 것 하나 없던 우리들

그 시절 함께했던 우리들은
그때 가슴에 품었던 꿈을 모두 이뤘을까?

학창시절 우리들이 사무치게 그리운 밤이다

그럼 된 거야

다른 사람 눈치 보지 마
네가 괜찮으면 된 거야

오해의 말에 속상해하지 마
내가 널 믿으면 된 거야

어쩌다 넘어지면 어때
네가 포기하지 않으면 된 거야

남의 잣대에 굳이 널 끼워 맞추지 마
네가 행복하면 된 거야

그럼 된 거야

꿈나라

꿈나라에서 만난 당신은
오늘따라 더 멋져 보이네요

날 위해 준비한 마차를 타고
우리만의 성으로 달려가요

이곳에서 우린
풋풋했던 젊은 날로 돌아가요

그때 해보지 못한 모든 걸 할 수 있죠
비밀스러운 뜨거운 사랑도 마음껏 나누어요

알람 종이 울리면 아쉽지만 헤어질 시간이에요

잊지 마요!
오늘 밤에도 그곳에서 다시 만나요

첫사랑

첫사랑은요
돌아갈 수 없어서 더 안타까운 이야기랍니다

첫사랑은요
추억이라 더 그리운 이야기랍니다

첫사랑은요
슬퍼서 더 아름다운 이야기랍니다

피아노

손가락이 춤을 춘다

홍겨운 선율엔
환희의 춤을

슬픈 선율엔
눈물의 춤을

하얀 건반과 검은 건반이 어우러지며
덩달아
내 마음도 춤을 춘다

행복이네 집

우울할 때 꺼내 보아요
행복이를

낙심할 때 꺼내 보아요
소망이를

외로울 때 꺼내 보아요
사랑이를

슬플 때는 우리 삼총사가 있잖아요

누구나 슬프고 지칠 때 쉬어갈 수 있는
여기는 행복이네 집이랍니다

이런,
어디에 있는지 물어보는 분이 계시네요

누구나 다 갖고 있지요
각자의 마음 창고에

내 아이에게

네가 원하는 건 다 해주진 못해도
네게 아낌없이 사랑을 줄 수 있단다

네가 슬플 때 네 눈물이 될 순 없어도
마음을 나누며 네 눈물을 닦아줄 수 있단다

네가 인생의 기로에서 헤맬 때 네 손을 잡아줄 순 없어도
옳은 길로 갈 수 있도록 등대는 되어줄 수 있단다

너에게 날개는 못 달아 주어도
네 꿈에 날개는 달아 줄 수 있단다

어떤 언어로도 표현이 안 되는
사랑스러운 내 아이야

넌 존재 자체가
내게
벅찬 감동이며 감사란다

당신 모습 그대로

바꾸려고 하지 마세요
당신 모습 그대로 충분해요

너무 애쓰지 마세요
당신 모습 그대로 충분해요

남과 비교하지 마세요
당신은요
당신 모습 그대로 충분히
아름다운 사람입니다

지나간 사랑이 있기에

지나간 사랑이 있기에
가슴 저밈도 알았습니다

지나간 사랑이 있기에
아름다운 추억으로 살아갈 수 있었습니다

지나간 사랑이 있기에
지금의 사랑을 한눈에 알아볼 수 있었습니다

그러니 지나간 사랑 때문에
더 이상 아파하지 마세요

그 사랑으로 인해
언젠간 새로운
아름다운 사랑이 시작될 테니까요

초록 세상

자고 일어났더니
온 세상이 초록으로 가득하네요

초록요정이 마법을 부린
초록 세상

산에도
들판에도
거리에도

우리 눈에 싱그러움이 가득
우리 마음에 풍요로움도 가득

자연의 모든 생명이 축복받는
초록 세상

초록요정아 고마워

오월을 닮은 당신께

오월을 닮은 당신께
오월을 선물합니다

오월보다 더 따스하고
오월보다 더 아름답고
오월보다 더 풍요로와지세요

참, 빠트린 게 하나 있는데요
여기요
행복은 덤이랍니다

함께 떠나요

가벼운 배낭 짊어지고
갑자기 떠나는 여행

혹시나 여행 준비물 빠트릴까

들뜬 마음 추스르고

설렌 가슴 부여잡고

즐길 여유 챙겼으니

준비 끝!

그럼 이제
신나게 떠나볼까요

Here we go!

우리 그렇게 살아요

예쁜 것만 보고 살아요 우리

보고 싶은 것만 보고 살아요 우리

세상 어지럽고
꼴사나운 것 투성이지만

눈 딱 감고
그렇게 살아요 우리

고마운 내 친구

내가 힘든 일 있을 때
무슨 일 있느냐며 묻지 않고
그냥 말없이 내 옆을 지켜주는 내 친구

내가 불의를 겪었을 때
나보다 더 목에 핏대 세우며
역성을 내는 내 친구

내가 기쁜 일이 생기면
자기 일인 양 팔불출처럼
동네방네 다 자랑하고 다니는 내 친구

너 땜에 견뎌왔고
너 땜에 살만 하다

내 인생이

멋진 당신

오늘도 마음을 나누는
소중한 이 시간

마음은 나누는 거지
거래가 아니잖아요

조금 더 많이 줬다고
조금 덜 받았다고
서운해하지 마세요

마음이 더 넓은 당신이
마음이 더 깊은 당신이
더 많이 준거니까요

진짜 괜찮아

조금은 부족해도 괜찮아
나도 부족한 게 투성이야

다 잘하지 않아도 괜찮아
너무 다 잘하면 부담스럽다

가끔 실수해도 괜찮아
그게 오히려 인간미 있어 보여

진짜 괜찮아
누구보다 잘하고 있는걸

내게 안겨요

오늘 많이 힘들어 보이네요
그런 날은 내게 와도 돼요

그대 아픔을 내가 덜어갈게요

그대 눈물도 내가 거둬갈게요

그러니 이제 내게 안겨요
그리고 맘껏 울어요

당신이면 좋겠습니다

다른 사람 신경 쓰지 않고
소신대로 행하는 사람이
바로 당신이면 좋겠습니다

시간의 소중함을 알고
오늘에 최선을 다하는 사람이
바로 당신이면 좋겠습니다

가까운 사람에게
고맙다는 말을 아끼지 않는 사람이
바로 당신이면 좋겠습니다

겉이 화려한 사람보다는
내면에 사람 향기가 나는 사람이
바로 당신이면 좋겠습니다

작은 일에도 감사하며
기뻐할 줄 아는 사람이
바로 당신이면 좋겠습니다

이런 사람이

나와 함께하는

바로 당신이면 좋겠습니다

내 귀한 보석들에게

아무리 예쁜 꽃인들
너에 비할까

아무리 귀한 보석인들
너에 비할까

날 향한 너의 미소는
내게 기쁨이며

날 부르는 너의 음성은
내 삶의 이유란다

고맙다
내게 와줘서

사랑한다
소중한 내 아이야

마음을 담아 보아요

내가 하는 말에

마음을 담아 보아요

곱게

아름답게

향기롭게

말 때문에 외로워지는 일이

생기지 않도록

가치있는 사람

가치 있는 삶이 되기 위해
가치 있는 사람이 되기 위해
나를 돌아봅니다

나에게
부족한 게 무엇인지
아쉬운 게 무엇인지
노력해야 하는 게 무엇인지

그리고 부족한 날
조금씩 채우고
하나씩 다듬어 봅니다

성공의 높이보다
가치가 높은 내가 되길 위해

오늘도 내 가치를
한 눈금 높이는
내가 되어 봅니다

반드시

슬픔과 아픔에 지치고 힘들어
다시는 사랑하지 않겠다
다짐하지 마세요

슬픔과 아픔은
반드시 지나갑니다

때가 되면
사랑이 주는 기쁨 때문에
슬픔은 잊고
다시 사랑하게 될 거예요
반드시

청춘에게

청춘이여
꿈을 향해 나아갈 때는
조금도 두려워하지 말아라

그대들의 가슴속 뜨거운 열정을 가득 품고
망설임 없이 꿈을 펼쳐라

혹여 실패와 좌절을 만나더라도
누구나 다 겪는 것이니 낙심하지 말아라

노력의 시간은 결코 헛되지 아니하니

이후엔 반드시 '성공'이 미소 지으며
그대들을 두 팔 벌려 반기리라

자연과 나들이

따사로운 햇살을 설레며 맞이하니
아름다운 꽃들이
향긋한 꽃내음을 풍기며
나를 반긴다

이름 모를 나무 열매들이
자기를 봐달라며
마음껏 뽐내는 자태 또한 볼만하다

드높은 파란 하늘에
푸르른 숲과
신선한 바람이 가득한 이곳

아! 여기는
형형색색의 꽃을 피운 꽃밭 속에
우아한 나비들의 춤사위가 펼쳐진다

감탄사가 절로 나오는
이 아름다운 자연 속에
내가 속해있음에 감사하며
가벼운 발걸음을 옮긴다

장미의 품격

뜨겁게 내리쬐는 태양 속에서도
도도하게 가시를 세우며
품위를 잃지 않는 붉은 그대여

바람에 흔들리며 떨어지는
그대의 붉은 눈물조차
우아함을 잃지 않네

감탄을 자아내는
그대의 아름다움과
고운 자태와
향기로운 품격까지 갖춘 그대를
어찌 사랑하지 않을 수 있을까

아카시아 추억

향기로 내게 말을 걸어오네요
순백의 하얀 그대가

달콤한 꿀까지 머금고 있는 그대의 유혹을
오늘도 난 뿌리치지 못합니다

내 어린 시절 추억도 살포시 데리고 오는
그대로 인해

향기에 취해
추억에 취해

오늘도 난 이곳에
잠시 머물다 갑니다

여름날의 추억

밤바다 파도 소리에
설레던 우리들

자작자작 타는 모닥불에 모여
새로운 다짐을 하던 우리들

무수히 별이 반짝이던 밤하늘에
불꽃놀이를 하며 즐거워하던 우리들

선배의 통기타 반주에 맞춰
흥겹게 노래 부르던
젊은 날의 우리를 회상해본다

이 더운 여름날에

여름비

오늘 아침
당신의 소리에 잠이 깨었습니다

요즘 문득 당신이 그리웠는데
그래서인지 더 반가웠습니다

이 더운 여름날 당신의 방문은

더위에 지친 우리에게
메마른 대지와 땅 위의 모든 생명에게
기쁨 그 자체입니다

여름엔 자주 뵈었으면 좋겠습니다
오늘 하루
오래 머물다 가세요

그대 미소

그대 미소를 보고 있자니
환한 햇살이 뒷걸음질 치며 도망가네

그대 미소를 보고 있자니
걱정거리도 나 살려라 도망가네

그대 미소를 보고 있자니
세상 모든 행복이 나 불렀소 하고 찾아오네

반가워! 일상아

콧노래가 나오는 기분 좋은 날입니다

햇살도 내 노래에 미소를 보이네요

내 구두 소리도 흥겹게 발맞춰봅니다

평범했던 아니 특별했던
우리의 일상으로 돌아가는 귀한 날입니다
설레는 오늘이 참으로 감사한 날입니다

행복 찾기

어디에 흘렸을까
어제까지 분명 있었는데
오늘 문득 없어진 나의 행복이

어디에 숨었을까
어딘가에 꼭꼭 숨어
날 애타게 하는 나의 행복이

못 찾겠다 꾀꼬리

앗, 찾았다

내 커버린 욕심 뒤에 숨어있었구나

미안 미안

다신 욕심부리지 않을게
널 잃지 않도록

닭 전상서

초복엔
털을 뽑는 희생을 감수하시고
끓는 물에 투신하사
삼계탕으로 우리의 건강을 지켜주시고

중복엔 갖은양념과 당신의 몸을
감자와 융합하사
맛난 닭볶음탕으로
우리를 기쁘게 해주시니

성은에 감개무량하여

말복엔 다른 메뉴를 생각하나
마땅히 떠오르지 않으니

허락만 해주신다면
능이버섯과의 뜨거운 합방을 계획 중이오니
몸소 준비하고 계시옵소서

알사탕

한입 가득 알사탕 물고
세상 행복 다 맛보는 느낌

친구와 놀다 까르르 웃으며
입에서 떨어뜨린 알사탕

바닥에 산산이 조각나던 내 알사탕
아니 산산이 조각나던 내 행복

닭똥 같은 눈물 뚝뚝 흘리며
엉엉 울었던 그날

큰 욕심도 없고
큰 걱정도 없었던

문득 그 시절이
그리운 요즘

여름의 노래

매미의 짝을 갈망하는
세레나데를 시작으로

소낙비와 여우비의
적절한 콜라보가 어우러지며

푸른 바다의 시원하고 열정적인
파도 소리로 클라이맥스를 이룬다

코스모스

이슬을 먹고 살아
그리 예쁜가요

이맘때면 어김없이
분홍 입술로 단장을 하고
가을을 마중 나오는 그대

그대의 아름다움으로 수놓는 가을 길은
언제나 황홀합니다

가을의 높고 파란 하늘에
참으로 어울리는 어여쁜 그대를

하늬바람에 흔들려도 꺾이지 않는
그대의 순정을

이 가을에
닮아보려 합니다

노을처럼

저녁노을의 찬란함처럼
내 인생의 후반도
저 찬란한 노을 같기를

하늘빛을 온통 붉게 물들이는
노을처럼
나의 삶도
오색의 아름다운 빛으로 물들여지기를

거울

참 아름답다 생각하며
모든 사람이 쳐다보는 곳

내 젊음이 그대로일 줄 알았던
철없던 그 시절

내 속의 열성은 그대로인데
거울 속에 비춰진
어느덧 낯선 내 모습

너라도 기억해다오

내 찬란했던 청춘과 생기가
넘쳐났던 그때를

그 시절 누구보다 빛났던 나를

엄마도 여자였습니다

나에게 엄마는 늘 강한 사람이었습니다
눈물 한번 흘린 적 없는

하지만 내가 엄마가 된 후 알 수 있었습니다

행여 내 아이가 볼까
슬픔을 감추고
눈물을 삼킨다는 것을

엄마도 연약한
한 여자라는 것을

당연한 사실을 비로소
내가 엄마가 된 후에야 깨닫게 되었습니다

그대 가슴에 반짝이는 별 하나

누구나 가슴엔

빛나는 별 하나 가지고 있지요

어떤 이는 사랑으로 빛이 나고

어떤 이는 꿈으로 빛이 나지요

슬픔으로 아픔으로

마음 한구석에 방치해 둔

내 별을

흔들어 깨워보아요

오늘은

그 별을 희미하게나마 빛내볼까요

사랑으로

꿈으로

밝지 않아도 괜찮아요

별이라고 다 환하게

빛나는 건 아니니까요